C000229059

Gilbert **Delahaye** ◆ Marcel **Marlier**

martine

en voyage

casterman

Martine

Joyeuse et curieuse, Martine adore s'amuser avec ses amis et son petit chien Patapouf. Ensemble, ils découvrent

le monde et vivent de véritables aventures. Une chose est sûre : avec Martine, on ne s'ennuie jamais !

Lucie

Lucie est dans la même classe que Martine. Comme ses parents voyagent beaucoup, elle séjourne souvent chez son amie. C'est l'occasion de jouer ensemble toute la journée, et d'imaginer des histoires merveilleuses…

Les parents de Lucie sont en voyage pour leur travail. Martine l'a invitée à passer les vacances chez elle. Les deux amies sont ravies : elles adorent s'amuser ensemble !

Leurs jeux préférés ? La balançoire et contempler les papillons : leurs ailes multicolores sont magnifiques !

Chaque jour, la maman de Martine leur fait réviser l'alphabet.

– C'est important de savoir lire et écrire, assure-t-elle.

Martine soupire :

– On sait ! Mais c'est difficile…

Dehors, il fait beau et les oiseaux chantent. Les deux amies s'évadent déjà dans leurs pensées !

– Et si on faisait un grand voyage ? s'imaginent les deux fillettes.

Aussitôt, elles préparent leurs bagages.

– Grimpe sur la valise, Lucie, ou elle ne fermera pas !

Nounours, Jeannot-Lapin et Monsieur le Soldat-de-Bois les regardent

avec tristesse… Les deux amies vont leur manquer.

Pour voyager, Martine a mis sa belle robe jaune et son chapeau de paille. Elle a même emporté une ombrelle pour se protéger du soleil.

– On va où ? demande Lucie.

– En Amérique !

– Bonne idée ! C'est loin ?

– Oui ! répond Martine. Il faut d'abord prendre le train, puis le bateau.

À la gare, elles rencontrent le conducteur de train.

– Où allez-vous ? demande-t-il.

– En Amérique !

– Vraiment ? Alors dépêchez-vous, le train va bientôt partir !

Les deux amies se précipitent vers le quai. Elles ont juste le temps de monter à bord.

Un coup de sifflet… Prêtes pour le départ !

Le train file à travers la campagne. Les prés sont tout fleuris !

– Regarde ! lance Martine. Une bergère entourée de ses agneaux !

On lui fait coucou ?

La jeune fille leur répond d'un signe, et leur envoie même un baiser !

Quelques minutes plus tard, le train s'arrête dans une petite gare.

Les deux fillettes suivent une longue route bordée d'arbres.

– Tiens, un écriteau !

– Qu'est-ce qu'il dit ? demande Lucie en essayant de le déchiffrer.

– Je ne sais pas… répond Martine. Mais la flèche indique certainement l'endroit d'où part du bateau !

En effet, au bout du chemin, il y a une rivière.

Lucie et Martine s'assoient au bord de l'eau. Tout l'après-midi,

elles attendent le bateau qui doit les emmener en Amérique.

À la tombée de la nuit, elles commencent à frissonner.

– J'ai froid, murmure Lucie.

– Mettons nos manteaux. Qu'est-ce qu'il fabrique, ce bateau…?

Le lendemain matin, un jeune boulanger passe par-là.

– Vous attendez quoi? lance-t-il, son panier de brioches sous le bras.

– Le bateau!

– Vous n'avez pas lu la pancarte? C'est écrit : « Le bateau se trouve
de l'autre côté du pont » !

– Vraiment ? s'exclame Lucie.

– Vivement qu'on sache lire ! dit Martine. La prochaine fois, on attendra au bon endroit !

Elle remercie le boulanger puis entraîne son amie vers le pont. Les filles courent à toutes jambes.

– Vite ! La cloche sonne ! Le bateau va partir !

Trop tard ! Quand les amies arrivent sur le quai, le paquebot est déjà

loin… Une épaisse fumée s'élève de sa cheminée.

– Ils sont partis sans nous ! sanglote Lucie.

– Ne pleure pas…

– Mais on ne pourra jamais aller en Amérique !

– Ce n'est pas si grave… répond Martine. Viens, on rentre à la maison.

Sur la route, on imaginera qu'on fait une croisière sur un grand

bateau !

Bientôt, la fatigue se fait sentir.

– Un banc ! dit Lucie. Mais que dit le papier posé dessus ?

– Aucune idée, répond Martine. Il y a trop de lettres…

Catastrophe ! Sur ce papier était écrit : « Prenez garde à la peinture ! »...

– Le banc vient d'être repeint en vert ! comprend Martine. Ma robe est
toute tachée...

– Il y a un ruisseau juste là, dit Lucie. Tu n'as qu'à la laver dedans !
Quand la trace de peinture est partie, les deux amies reprennent
leur route.

Elles croisent un chemin, puis un autre, un troisième, un quatrième…

– Il y en a tellement… murmure Martine. Comment savoir lequel mène
à la maison ?

Tout en cherchant, les filles s'enfoncent dans les bois.

La forêt est habitée par des lapins, des écureuils et même un faon !

– Vous êtes venues jouer avec nous ? demandent-ils.

– Mais pas du tout ! répond Martine, en colère. On veut rentrer
à la maison !

– Sauf qu'on s'est perdues…   sanglote Lucie.

– Ne vous inquiétez pas, dit la maman lapin, je connais le chemin.

Je vais vous raccompagner chez vous.

Elle prend sa lanterne.

– Dépêchez-vous, lance-t-elle, il fait presque nuit. Votre maman

va s'inquiéter !

Lucie et Martine la suivent à travers la forêt.

– Vous voilà ! s'exclame la maman de Martine quand les deux amies
arrivent à la maison. Où étiez-vous passées ?

Jeannot-Lapin, Nounours et Monsieur le Soldat-de-Bois dansent de joie !

Dès le lendemain, Martine apprend l'alphabet par cœur.

– Lors de mon prochain voyage, je saurai lire tous les écriteaux !

– Ton prochain voyage ? demande sa maman, étonnée.

Martine repense à son aventure, au boulanger, au paquebot
et aux animaux de la forêt… Et si elle avait rêvé ?

Retrouve **martine** dans d'autres aventures !

martine garde son petit frère

martine fête son anniversaire

martine jardine

martine fait du vélo

martine petit rat de l'opéra

martine à la fête des fleurs

martine fait la cuisine

martine apprend à nager

martine est malade

martine en vacances

martine prend le train

martine fait de la voile

martine fête maman

martine à l'école

martine découvre la musique

martine a perdu son chien

martine dans la forêt

martine et le cadeau d'anniversaire

martine un mercredi pas comme les autres

martine la nuit de Noël

martine se déguise

martine et les lapins du jardin

martine baby-sitter

martine au pays des contes

martine et les marmitons

martine prépare une surprise

martine l'arche des animaux

martine princesses et chevaliers

martine et les fantômes

martine un amour de poney

martine la dispute

martine drôle de chien !

Casterman
Cantersteen 47
1000 Bruxelles

www.casterman.com

ISBN : 978-2-203-10676-5
N° d'édition : L.10EJCN000490.C002
© Casterman, 2016
D'après les albums de Gilbert Delahaye et Marcel Marlier.
Achevé d'imprimer en décembre 2016, en Italie.
Dépôt légal : mars 2016 ; D.2016/0053/95
Déposé au ministère de la Justice, Paris (loi n°49.956
du 16 juillet 1949 sur les publications destinées à la jeunesse).

Tous droits réservés pour tous pays.
Il est strictement interdit, sauf accord préalable et écrit de l'éditeur,
de reproduire (notamment par photocopie ou numérisation)
partiellement ou totalement le présent ouvrage, de le stocker
dans une banque de données ou de le communiquer au public,
sous quelque forme et de quelque manière que ce soit.